FABIEN NURY   SYLVAIN VALLÉE

IL ÉTAIT UNE FOIS EN FRANCE

"Ce que nous vous montrons est partout bien connu :
  Le drame de gangsters que chacun a vécu."

BERTOLT BRECHT

Glénat

AVERTISSEMENT

Bien que cette histoire soit inspirée par des faits réels, elle n'en demeure pas moins une fiction : les incidents authentiques, les suppositions et l'invention pure sont ici librement mélangés. Les personnages historiques côtoient des êtres composites et d'autres entièrement imaginaires : leurs apparences, comportements et expressions sont le fait des auteurs.

COULEURS : DELF

www.glenatbd.com
© 2009 Éditions Glénat
Couvent Sainte-Cécile - 37 rue Servan - 38000 Grenoble
Tous droits réservés pour tous pays.
Dépôt légal : octobre 2009
ISBN : 978-2-7234-6873-2
Achevé d'imprimer en Belgique en septembre 2011 par Lesaffre,
sur papier provenant de forêts gérées de manière durable.

ILS VOUDRONT FAIRE PAYER DES ANNÉES DE PÉTOCHE ET DE PRIVATION À QUELQU'UN ...

..., PEU IMPORTE QUI.

ILS TRAQUERONT LES TRAÎTRES, ILS PUNIRONT LES PROFITEURS ...

..., ET IL FAUDRA QUE JE SORTE DE SACRÉS CERTIFICATS DE MORALITÉ POUR ME FAIRE PARDONNER TOUT CE POGNON.

PERSONNE NE SAIT COMBIEN TU AS VRAIMENT... ..., IL EST PLANQUÉ, LE FRIC.

JE VEUX FAIRE PLUS QUE LE PLANQUER ...

JE VEUX L'UTILISER. POUR SURVIVRE. JE VEUX INVESTIR.

INVESTIR, DANS QUOI ?

DANS LA RÉSISTANCE.

3

4

VOUS NOUS EMMENEZ OÙ ?

EN BALADE.

TAIS-TOI, ANDRÉ.

DÉCONNEZ PAS, LES GARS !

VOTRE GENRE DE BALADES, C'EST CELLES DONT ON NE REVIENT PAS...

MAIS J'AI PAS ENVIE DE FINIR AU FOND D'UN BOIS, MOI !...

SI JE DOIS Y PASSER, JE VEUX QUE MA FEMME PUISSE M'ENTERRER !

TON COPAIN T'A DIT DE LA FERMER.

TERMINUS. VOUS DESCENDEZ LÀ.

NON.

JE SUIS FLIC, JE CONNAIS LA MUSIQUE... TENTATIVE D'ÉVASION, ET **VOUS NOUS BUTEZ !**

5

7

APPROCHEZ.

LEQUEL EST "BELETTE" ET LEQUEL EST "BOURGUIGNON"?

HEIN?

DE QUOI VOUS PARLEZ?

ANDRÉ FOURNET, LUCIEN PIEDNOIR. RESPECTIVEMENT INSPECTEUR PRINCIPAL ET AGENT DE LA PRÉFECTURE DE POLICE DE PARIS...

MEMBRES DU RÉSEAU DE RÉSISTANCE "HONNEUR ET POLICE" SOUS LES PSEUDONYMES DE BELETTE ET BOURGUIGNON...

JOUEZ AUX CONS AVEC MOI, ET JE VOUS RENVOIE AU TROU.

VOUS FAITES ERREUR, JE VOUS JURE! ON COMPREND RIEN À CE QUE...

JE SUIS BOURGUIGNON.

BIEN.

VOS CHEFS DE RÉSEAU SE RÉUNISSENT LE JEUDI SOIR, À 22H DANS L'ARRIÈRE-SALLE DE LA BRASSERIE ZIMMER, AUX HALLES... ET JEUDI PROCHAIN, ILS VONT SE FAIRE RAFLER PAR LA GESTAPO.

COMMENT VOUS SAVEZ ÇA?

JE LE SAIS PARCE QUE L'UN DE VOUS A CAUSÉ À SES VOISINS DE CELLULE.

7

9

LUCIEN, JE TE JURE...

SALOPERIE DE MOUCHARD !!!

ORDURE !!! JE VAIS TE LA FERMER POUR DE BON, TA GRANDE GUEULE !!!

GLLL... RRRH....

ON SE CALME.

IL MÉRITE CENT FOIS DE CREVER, CE FUMIER !

NE SOYEZ PAS SI DUR AVEC LUI, C'EST LE SEUL AMI QUI VOUS RESTE...

HEIN ? QU'EST-CE QUE VOUS VOULEZ DIRE ? FAUT PRÉVENIR LES GARS DU RÉSEAU ! ANNULER LA RÉUNION....

L'ANNULER POURQUOI ? ON VA L'AVANCER D'UN JOUR, C'EST TOUT.

8

SALUT, JOSEPH.

TU FUMES DES AMÉRICAINES ? C'EST PAS BON POUR LA SANTÉ....

TENEZ, SERVEZ-VOUS. VOUS ÊTES VENUS AVEC PAUL ?

COMME TU NOUS L'AS DEMANDÉ. ET ON LUI A DIT D'ATTENDRE EN BAS....

...COMME TU NOUS L'AS DEMANDÉ. TU VOIS, ON EST TRÈS SERVIABLES.

ELLES SONT DU TONNERRE, CES CLOPES. D'OÙ TU LES SORS ?

D'ICI.

Y'EN A POUR COMBIEN ?

DIX-HUIT CAISSES DE BLONDES AMÉRICAINES.

AU PRIX DU PAQUET ... MAZETTE !!

C'EST JUSTE LA CERISE SUR LE GÂTEAU.

LE PLUS CHIC, C'EST ENCORE L'ARGENTERIE. À VUE DE NEZ, Y'EN A POUR TROIS OU QUATRE MILLIONS.

9

ET PUIS, ON A UN PEU DE COURRIER. QUELQUES DOSSIERS CONFIDENTIELS ...J'AI PAS PU LIRE, MAIS ÇA AVAIT L'AIR INTÉRESSANT.

COMMENT T'AS DÉNICHÉ CE FILON ?

C'EST UN COPAIN DE LA PRÉFECTURE QUI M'A RENCARDÉ. TOUT CE SOUK, ÇA VIENT DE L'AMBASSADE AMÉRICAINE. ILS ONT PLIÉ BAGAGE UN PEU VITE, FIN 41 ...

UN PETIT MALIN LES A VUS PLANQUER LE MAGOT. IL S'EST MIS À BAVARDER, ET D'OREILLE EN OREILLE...

FAUT PRÉVENIR LE PATRON.

FAIT SUER..., C'EST UN VRAI PORC, LAFONT ! ON LUI OFFRE TOUT SUR UN PLATEAU, ET IL NOUS LAISSE QUE DES MIETTES !

POURQUOI LE PRÉVENIR, ALORS ?

GARDEZ LA CAMELOTE. LES DOSSIERS, ON N'A QU'À LES FILER À NOS AMIS LES BOCHES, OTTO ET FUCHS ...

...ILS ADORENT ÇA, LA PAPERASSE.

LE PATRON VA NOUS TUER, S'IL APPREND QU'ON L'A DOUBLÉ.

IL EN SAURA RIEN.

ET PAUL ? C'EST LE NEVEU DE LAFONT, BORDEL ! UN VRAI PETIT FAYOT !

JE M'OCCUPE DE PAUL. J'AI UNE COURSE À FAIRE. IL VA ME CONDUIRE. VOUS VOUS CHARGEZ DU RESTE.

ET TA PART ?

VOUS L'ENVERREZ À LUCIE....JE VOUS FAIS CONFIANCE.

10

12

ALORS ? ÇA DONNE QUOI ?

PAS GRAND-CHOSE. DES CAISSES DE CLOPES. LES AUTRES RESTENT ICI POUR LES EMBARQUER.... TU PEUX ME RAMENER À CLICHY, S'IL TE PLAÎT ?

COMMENT VA TON ONCLE ?

BEN... PAS TROP BIEN, EN FAIT.

IL EST SUR LES NERFS À CAUSE DE TOUS CES PARTISANS. IL ARRÊTE PAS DE ME BASSINER, COMME QUOI, JE SERAI JAMAIS UN TYPE COMME LUI... "UN HOMME, UN VRAI".

OH, ALLEZ, MONSIEUR JOSEPH ! VOUS SAVEZ QUE JE VOUS BALANCERAI JAMAIS ! C'EST QUOI, VOTRE IDÉE ?

FAUDRAIT QUE TU FASSES UN VRAI COUP D'ÉCLAT POUR LUI CLOUER LE BEC....

JE DEMANDE QUE ÇA, MOI ! MAIS BON, FAUT AVOIR L'IDÉE....

JE L'AI L'IDÉE, MAIS JE SAIS PAS SI JE PEUX TE FAIRE CONFIANCE....

DISONS QUE TU POURRAIS ...

...DÉMANTELER UN RÉSEAU DE RÉSISTANCE, TOUT SEUL COMME UN GRAND.

café le Zimmer

PARIS, QUARTIER DES HALLES. 13 MARS 1943...

ON Y EST. MERCREDI SOIR, 21H30. ILS SONT DANS L'ARRIÈRE-SALLE.

11

13

LES TYPES DEVANT, C'EST DES SENTINELLES ?

J'EN SAIS RIEN... JE PEUX PAS TOUT FAIRE À TA PLACE, NON PLUS. ALLEZ, TES COPAINS T'ATTENDENT.

ET N'OUBLIE PAS, HEIN ! CE THYAH, C'EST PAS MOI QUI TE L'AI FILÉ. TU T'ES DÉBROUILLÉ TOUT SEUL...

COMME UN GRAND, JE SAIS.

12

13

15

MONSIEUR JOANOVICI ?

ON SE CONNAÎT ?

MOI, JE SAIS BIEN QUI VOUS ÊTES, MONSIEUR JOANOVICI..., NOUS NOUS SOMMES DÉJÀ RENCONTRÉS.

JE ME SOUVIENS DE VOUS... LE DOCTEUR.

VOUS N'AVEZ PAS L'AIR EN FORME... VOUS AVEZ DES SOUCIS ? DES ENNUIS AVEC LA POLICE, PEUT-ÊTRE ?

ÇA NE VOUS REGARDE PAS.

IL M'ARRIVE DE VENIR EN AIDE À DES PERSONNES COMME VOUS, QUI ONT BESOIN DE QUITTER LE PAYS DISCRÈTEMENT... ET VITE.

C'EST GENTIL DE VOTRE PART.

...UNE FILIÈRE D'EXFILTRATION VERS L'ARGENTINE.

JE DIRIGE UN RÉSEAU NOMMÉ "FLY TOX"...

POURQUOI JE PARTIRAIS ? JE SUIS BIEN ICI ...

SI VOUS CHANGEZ D'AVIS ..., J'AI UN CABINET, RUE LESUEUR.

MERCI. JE M'EN SOUVIENDRAI.

14

15

NON, NON... ÉTEINS, S'IL TE PLAÎT.

JE PRÉFÈRE RESTER DANS LE NOIR.

QU'EST-CE QUI T'ARRIVE ?

J'AI VU DES CHOSES CE SOIR... QUE J'AURAIS PRÉFÉRÉ NE PAS VOIR.

J'ESSAYE DE SURVIVRE, TU COMPRENDS ? D'AVOIR TOUJOURS UN COUP D'AVANCE... DE NE JAMAIS M'EMBARRASSER DE SENTIMENTS OU DE MORALE... JE NE PEUX PAS FAIBLIR, JE NE PEUX PAS RALENTIR...

J'AI L'IMPRESSION DE TOMBER DANS UN PUITS SANS FOND.

TU SENS L'ALCOOL. CE N'EST PAS TON GENRE.

QU'EST-CE QUE TU SAIS DE MON GENRE ? JE NE SUIS PLUS L'HOMME QUE TU AS ÉPOUSÉ...

JE SUIS UN VRAI SALAUD, ÉVA. UN CRIMINEL.

NE DIS PAS DE BÊTISES. JE SAIS TRÈS BIEN QUI TU ES.

16

DEBOUT. C'EST L'HEURE.

ILS SAVENT, LUCIEN. C'EST POUR ÇA QU'ILS NOUS ONT CONVOQUÉS. ILS SAVENT QUE C'EST NOUS, ET ILS VONT NOUS TUER...

S'ILS SAVAIENT, ON SERAIT DÉJÀ MORTS. IL FAUT QU'ON TIENNE BON. QU'ON S'ACCROCHE À NOTRE VERSION.

ON N'A QU'À PARTIR ! N'IMPORTE OÙ, EN PROVINCE !

ÉCOUTE-MOI BIEN, ESPÈCE DE LOQUE. J'AI TRAHI PERSONNE, MOI ! ON N'EN SERAIT JAMAIS ARRIVÉS LÀ SI T'AVAIS EU UN PEU DE CRAN !

MAINTENANT ON EST CONVOQUÉS, ET ON VA Y ALLER TOUS LES DEUX, ENSEMBLE !

SINON, JE TE CRÈVE TOUT DE SUITE !

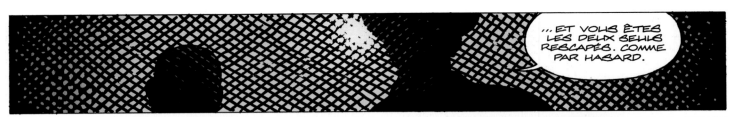

...ET VOUS ÊTES LES DEUX SEULS RESCAPÉS. COMME PAR HASARD.

CE N'EST PAS UN HASARD, ON A ÉTÉ PRÉVENUS.

PAR QUI ?

ON NE PEUT PAS DIRE SON NOM. IL VEUT QU'ON L'APPELLE "SPASS".

IL... IL PARAÎT QUE ÇA VEUT DIRE "SAUVEUR", EN RUSSE.

CLIC

ADMETTONS QU'ON SOIT DES TRAÎTRES. POURQUOI ON EST ICI, ALORS ? ET POURQUOI VOUS ÊTES ENCORE LIBRES ? NORMALEMENT, VOUS DEVRIEZ TOUS ÊTRE ENTRE LES MAINS DE LA GESTAPO, À L'HEURE QU'IL EST.

CE CONTACT, "SPASS"... IL FAIT DES AFFAIRES AVEC LES BOCHES, IL EST PAS INNOCENT, LOIN DE LÀ... MAIS IL PEUT ÊTRE UTILE.

C'EST LUI QUI NOUS A FAIT SORTIR. IL DIT QU'IL PEUT EN LIBÉRER D'AUTRES.

FAITES L'ESSAI. ON NE VOUS DEMANDE PAS DE NOUS CROIRE SUR PAROLE.

JE RESTE ICI. BELETTE VA VOIR SPASS. IL LUI DONNE UNE LISTE DES NÔTRES QUI CROUPISSENT EN CELLULE.

ET SI NOS CAMARADES NE SONT PAS LIBÉRÉS D'ICI TROIS JOURS...

... JE VOUS JURE QUE JE COMPTE PAS CREVER SEUL. JE VOUS LIVRERAI TOUS LES DEUX.

19

21

VOILÀ LA LISTE. 35 NOMS.

PAS DE CRIMES DE SANG ? PAS DE SABOTAGE AVÉRÉ ? JE NE POURRAI RIEN FAIRE, SINON.

NON, JE.... JE NE CROIS PAS.

MAIS VOUS DEVEZ LES FAIRE LIBÉRER ! ILS TIENNENT PIEDNOIR EN OTAGE, ET...

...ET IL EST PRÊT À NOUS BALANCER, J'AI COMPRIS.

HÉ, JOSEPH ! VIENS PAR LÀ, MON PETIT GARS !

T'AS FÉLICITÉ MON NEVEU ? IL S'EST DÉBROUILLÉ COMME UN CHEF, CETTE SEMAINE ! UNE BELLE BROCHETTE DE PARTISANS, QU'IL A COFFRÉS !

JE SAIS... BRAVO, PAUL. ON EST TOUS FIERS DE TOI.

IL A BIEN MÉRITÉ UNE PETITE PRIME, TU TROUVES PAS ?

SI, BIEN SÛR.... TU ME DIRAS DE COMBIEN, JE ME FERAI UN PLAISIR DE M'EN OCCUPER.

20

C'EST BIEN GENTIL DE TA PART. ET PUIS, QUAND T'AURAS UN MOMENT... FAUDRAIT ME DÉGOTER DU TISSU.

DU TISSU ? QUELLE QUANTITÉ ?

ASSEZ POUR TAILLER DES UNIFORMES À 300 BONSHOMMES. C'EST UNE IDÉE QUE J'AI EUE... JE T'EN REPARLERAI.

TU VOIS, PAUL ? UN BRAVE TYPE, GÉNÉREUX COMME JOSEPH... ÇA FAIT MENTIR BIEN DES PRÉJUGÉS.

J'EN AI JAMAIS DOUTÉ.

ARRÊTEZ, VOUS ME FAITES ROUGIR...

À LA VÔTRE, LES GARS.

300 UNIFORMES, POUR MON AMI LAFONT ? ÇA DEVRAIT ÊTRE FAISABLE...

HÉ ALORS ? IL ARRIVE, CE CHAMPAGNE ? C'EST FÊTE, CE SOIR !

ÇA VA, LES GARS ? TOUT SE PASSE BIEN ?

AU POIL...

TANT MIEUX, JE SUIS CONTENT POUR VOUS...

...PAUVRES CRÉTINS. CONTINUEZ À CLAQUER TOUT CE FRIC, ET LAFONT VA SE POSER DES QUESTIONS.

ALLEZ, AMUSEZ-VOUS BIEN ... LA PROCHAINE TOURNÉE EST POUR MOI.

21

JOSEPH ! ON T'ATTENDAIT ...

DÉSOLÉ. ON M'A TENU LA JAMBE.

JE TE PRÉSEN- TE WILHEM KORF, UN BON AMI D'OTTO.

ENCHANTÉ, LES AMIS D'OTTO SONT MES AMIS.

WILHEM A SES ENTRÉES À LA KOMMANDANTUR. IL SERAIT PRÊT À NOUS RENDRE QUELQUES SERVICES, À TITRE PRIVÉ...

MOYENNANT FINANCES, JE SUPPOSE ?

JE SUIS UN BON VIVANT. JE DIRAIS MÊME QUE J'AI DES GOÛTS DE LUXE.... HÉLAS POUR MOI, MON TRAIN DE VIE EST INCOMPATIBLE AVEC MA SOLDE.

JE PEUX VOUS AIDER À ARRONDIR VOS FINS DE MOIS.... MAIS C'EST DONNANT DONNANT.

J'AI ICI UNE PETITE LISTE AVEC QUELQUES NOMS.... J'AIMERAIS QU'ILS SOIENT LIBÉRÉS.

VOUS PLAISANTEZ, J'ESPÈRE ?

SANS VOULOIR VOUS OFFENSER, IL ARRIVE QUE VOS COLLÈGUES ARRÊTENT LES GENS SANS... DISONS SANS DISCERNEMENT.

UN HUMANISTE, UN HOMME DE GOÛT TEL QUE VOUS ... POURRAIT RÉPARER QUELQUES ERREURS.

22

COMBIEN ?

20 000 FRANCS PAR TÊTE.

L'OFFICIER QUI A DÎNÉ AVEC NOUS... DONNEZ-MOI SON ARDOISE. JE VAIS LA RÉGLER.

BIEN, MONSIEUR JOSEPH.

BONSOIR.

TU LE CONNAIS ?

UN PEU, OUI... IL VOUDRAIT M'EMMENER EN VOYAGE.

OÙ ÇA ?

SÛREMENT PAS EN ARGENTINE.

23

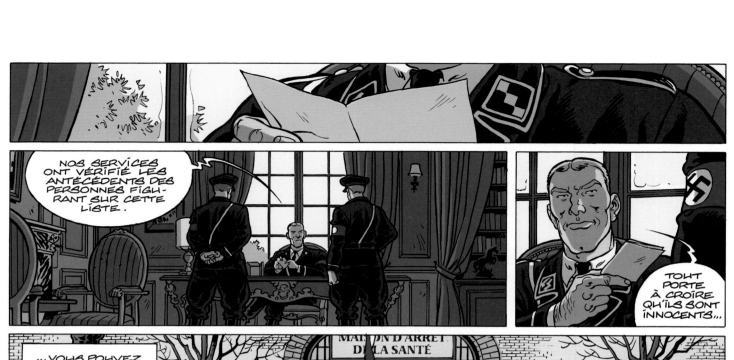

NOS SERVICES ONT VÉRIFIÉ LES ANTÉCÉDENTS DES PERSONNES FIGU-RANT SUR CETTE LISTE.

TOUT PORTE À CROIRE QU'ILS SONT INNOCENTS...

MAISON D'ARRÊT DE LA SANTÉ

...VOUS POUVEZ LES RELÂCHER.

BOURGUIGNON, DEBOUT.

VOTRE CONTACT A TENU PAROLE.

DÉSOLÉ D'AVOIR DOUTÉ DE VOUS, LES GARS...VOUS AVEZ DÉGOTÉ UN ALLIÉ PRÉCIEUX.

26

VOILÀ LE COMPTE. 700 000 FRANCS.

MONSIEUR JOANOVICI M'A PARLÉ D'UN BONUS...

VOUS ÊTES DEDANS.

FÉLICITATIONS, MONSIEUR "SPASS". VOUS ÊTES MAINTENANT MEMBRE DE "HONNEUR ET POLICE"!

JE SUIS "HONORÉ", ALORS!

JE VAIS ESSAYER D'ÊTRE À LA HAUTEUR...

ÇA VAUDRAIT MIEUX POUR VOUS.

ALLEZ, SANS RANCUNE...

...VOUS POUVEZ COMPTER SUR MOI.

25

DEUX HOMMES PAR CONTAINER ! REMUEZ-VOUS, ON N'A PAS TOUTE LA NUIT !

CHAQUE CAMION A SON LAISSEZ-PASSER DANS LA BOÎTE À GANTS. QUAND VOUS ARRIVEREZ À SAINT-OUEN, VOUS TROUVEREZ L'ENTREPÔT DERRIÈRE LES ...

JE SAIS. ON A ÉTUDIÉ L'ITINÉRAIRE.

VOUS ÊTES NERVEUX, HEIN ?

UN PEU, OUI ...

POURQUOI VOUS ÊTES VENU, ALORS ? LES CAMIONS, LES PAPIERS OFFICIELS, LES ENTREPÔTS .... C'ÉTAIT AMPLEMENT SUFFISANT.

JE SUIS VENU POUR QUE DES GENS S'EN SOUVIENNENT..., POUR QU'ON PUISSE TÉMOIGNER QUE J'ÉTAIS LÀ.

J'AI PENSÉ VOUS TUER, AU DÉBUT, VOUS SAVEZ ...

... ET PUIS J'AI CHANGÉ D'AVIS.

TU PEUX ME TUTOYER, LUCIEN, APRÈS TOUT, ON EST DANS LA MÊME GALÈRE.

TRÈS BIEN. J'AI UNE NOUVELLE LISTE POUR TOI.

62 NOMS.

JE VAIS VOIR CE QUE JE PEUX FAIRE.

HÉ! JOSEPH!

ATTENTION AUX BARRAGES.

S'ILS M'ARRÊTENT, JE LEUR SORTIRAI MON JOKER.

UNE CARTE DE LA GESTAPO?!

T'ES VRAIMENT UN DRÔLE DE GARS, JOSEPH. J'AIME MIEUX T'AVOIR COMME AMI...

IL Y A TROP DE NOMS LÀ-DESSUS. EN LES LIBÉRANT, JE RISQUE D'ATTIRER L'ATTENTION DE MA HIÉRARCHIE.

HORS DE QUESTION.

CE N'EST PAS UNE QUESTION D'ARGENT. IL Y A DES RISQUES QUE JE NE VEUX PAS PRENDRE, C'EST TOUT.

MAIS, JE VOUS PAYE AU MÊME TARIF QUE...

VOUS OUBLIEZ CE QUE VOUS ME DEVEZ...

ET QU'EST-CE QUE VOUS ALLEZ FAIRE, MAINTENANT QUE J'AI REFUSÉ ? ME VIRER D'ICI ? ME DÉNONCER ?

VOUS N'ALLEZ RIEN FAIRE DU TOUT. VOUS ÊTES BIEN TROP MALIN POUR COMMETTRE UN SUICIDE.

REVENEZ ME VOIR DANS QUELQUES MOIS. QUAND JE SERAI DE NOUVEAU À SEC.

29

ALORS ?

PAS MOYEN. KORF NE LÈVERA PAS LE PETIT DOIGT. IL ME TIENT PAR LES COUILLES, ET IL LE SAIT !

LAISSE TOMBER. DIS À PIEDNOIR QUE TU N'AS RIEN PU FAIRE. TU EN AS DÉJÀ SAUVÉ 35.

C'EST PAS ASSEZ. IL EN FAUT D'AUTRES. BEAUCOUP D'AUTRES.

TU ME FAIS PEUR... TU PRENDS TROP DE RISQUES.

REGARDE-NOUS, JOSEPH ! À JOUER AUX RÉSISTANTS, DEUX ÉTAGES AU-DESSUS DE CE SALAUD...

ON RISQUE NOS VIES, ET POURQUOI ? TU CROIS QUE C'EST CE GENRE DE TORCHON QUI VA SAUVER LA FRANCE ?

JE T'AIME BEAUCOUP, LUCIE. TU ES INTELLIGENTE, ET FIDÈLE. MAIS NE T'AVISE PLUS JAMAIS DE TE MOQUER DES PARTISANS OU DE LEUR TRAVAIL ! TU M'AS BIEN COMPRIS ?

TU M'AS BIEN COMPRIS ?!

JE.... OUI. J'AI COMPRIS.

RRRIINNG RINNG

LUCIE ? ICI MARCEL ...

J'AI UN MONSIEUR "ADRIEN" QUI DEMANDE À VOIR JOSEPH.... IL DIT QUE C'EST URGENT.

30

32

Y'A EU UN ATTENTAT, RUE LAURISTON. LAFONT A ÉTÉ BLESSÉ... ÇA L'A RENDU FOU FURIEUX. IL S'EST MIS EN TÊTE QUE QUELQU'UN L'AVAIT TRAHI...

T'AVAIS RAISON, JOSEPH. ON A EU TORT D'ÉTALER NOTRE POGNON. LAFONT NOUS A REPÉRÉS... IL A DÉJÀ CHOPÉ JO ATTIA, ET LE GROS JO A PASSÉ UN SALE QUART D'HEURE... LAFONT L'A ENVOYÉ À DRANCY.

IL FAUT QUE JE ME TIRE. QUE JE QUITTE LE PAYS, POUR DE BON. J'EMMÈNE LA PETITE AVEC MOI, C'EST UNE BONNE GAGNEUSE, ELLE ME PERMETTRA DE PAS CREVER DE FAIM...

TU PARS ? OÙ ?

JE SAIS PAS. J'ESPÉRAIS QUE TU POURRAIS M'AIDER. MALIN COMME T'ES, JE ME SUIS DIT QUE T'AURAIS BIEN UNE FILIÈRE.

BEN VOYONS, TOUT LE MONDE ME TROUVE MALIN... ET JE ME RETROUVE DANS LA MERDE JUSQU'AU COU.

TU SAIS SI JO ATTIA M'A CAPTÉ ?

JE CROIS PAS. C'EST UN ROC, LE JO... ALORS TU PEUX M'AIDER ?

JE CROIS, OUI. JE CONNAIS QUELQU'UN QUI ORGANISE DES VOYAGES... ON VA VOUS PLANQUER, LE TEMPS D'ORGANISER VOTRE DÉPART.

ET TOI ? TU VAS OÙ ?

À TON AVIS ? JE VAIS PAS ATTENDRE QUE LAFONT ME TOMBE DESSUS...

...FAUT QUE JE PASSE LE VOIR.

31

AH! TE VOILÀ, TOI!!! SALE YOUTRE DE MERDE!!!

ALORS COMME ÇA, TU FAIS DES AFFAIRES DANS MON DOS, HEIN? MONSIEUR REVEND DES CLOPES, ET IL NOUS ENFUME SUR LES PROFITS?!

JE VAIS TE FAIRE PASSER LE GOÛT DES CACHOTTERIES, MOI!

UNE DANS LA TÊTE ET DEUX DANS LE CUL, QUE JE VAIS TE METTRE!

TOUTE TA PUTAIN DE FAMILLE, JE VAIS LA DESCENDRE!!!

AH! HENRI...

DIEU MERCI, TU T'EN ES TIRÉ ! J'AI EU TELLE-MENT PEUR !

JE T'AIME COMME UN FRÈRE, TU SAIS.

ME FAIRE ÇA, À MOI !!! DEVANT TOUT LE MONDE...

...T'AS DU GÉNIE, MON GARS.

J'AI UN CADEAU POUR TOI.

COL BLEU POUR LES ALGÉRIENS, MARRON POUR LES MAROCAINS. TOUT LE RESTE EST IDENTIQUE ... EN 300 EXEMPLAIRES.

QU'EST-CE T'EN PENSES ? ÇA A DE LA GUEULE, NON ?

OUAIS... PAS MAL. PAS MAL DU TOUT.

D'OÙ IL SORT, TOUT CE MATÉRIEL ? BÉRETS, CAN-TINES, CEINTURES... T'AS TOUT ACHETÉ ?

JE VOUS DIS PAS LE PRIX QUE ÇA M'A COÛTÉ ... MAIS IL FALLAIT BIEN ÇA ...

...POUR LA FUTURE "BRIGADE NORD-AFRICAINE" !

33

T'AS RAISON, ÇA A DE LA GUEULE. ATTENDS UN PEU QU'ILS NOUS VOIENT DÉBARQUER, DANS LEURS FOUTUS MAQUIS.... ILS VONT EN CHIER DANS LEUR FROC !

TU PARS EN OPÉRATION BIENTÔT ?

LA SEMAINE PROCHAINE. CET HIVER, MOI ET MES PETITS BOUGNOULES, ON VA CHASSER LE PARTISAN !

JE TE DOIS, JOSEPH. AVEC LES CRÉDITS QUE LES BOCHES M'ONT DONNÉS, J'AURAIS MÊME PAS PU LEUR ACHETER DES CHAUSSETTES !

BAH, ÇA ME FAIT PLAISIR ...

..., EN FAIT, J'AURAIS BIEN UN PETIT SERVICE À TE DEMANDER, MAIS J'OSE PAS.

ALLEZ, FAIS PAS TA SUCRÉE ! TU PEUX TOUT ME DIRE !

BEN, TU SAIS, J'AI PAS MAL D'EMPLOYÉS, ET ILS ONT DES FAMILLES

ET DES FOIS, Y'EN A QUI SE FONT ARRÊTER POUR DES CONNERIES, ALORS LEURS PARENTS VIENNENT ME VOIR ...

..., ENFIN, BREF. ILS M'ONT FAIT UNE PETITE LISTE, ET JE ME DEMANDAIS ...

PAS DE PROBLÈME. BONNY VA S'EN CHARGER.

HÉ ! AU FAIT

VA FALLOIR GRAISSER DES PATTES, POUR LES SORTIR ... ILS SONT NOMBREUX ?

62. JE PAYERAI.

QUEL PHILANTHROPE !

T'AURAIS PAS CROISÉ ADRIEN, PAR HASARD ? ON LE CHERCHE PARTOUT, CE PETIT FUMIER !

ADRIEN ? NON, JE L'AI PAS VU.... POURQUOI, T'AS UN MESSAGE À LUI FAIRE PASSER ?

34

DOCTEUR !
OUVREZ,
C'EST
ADRIEN !

ENTREZ
VITE.

DOCTEUR
MARCEL
PETIOT
RADIOTHÉRAPIE - PYREXIE -
IONISATION -
AÉRO & OZONOTHÉRAPIE -
TRAITEMENTS & APPAREILS
NOUVEAUX ET PERSONNELS -
CONSULTATION
SUR RENDEZ-VOUS.

35

C'EST FOU CE QUE THÉRÈSE A CHANGÉ.

C'EST UN PETIT BOUT DE FEMME, MAINTENANT.

ÇA T'ÉTONNE? TU LA VOIS UNE FOIS PAR AN ...

C'EST UNE VRAIE PESTE. ELLE ME FAIT PAYER TON ABSENCE.

VOUS VOUS EN SORTEZ, ICI ?

TU VEUX UNE RÉPONSE AGRÉABLE, OU LA VÉRITÉ ?

...ALLEZ, C'EST PAS SI TERRIBLE...

BIEN SÛR! LA VIE EST BELLE ...

...À BAZOCHES, SEINE-ET-MARNE. ENCORE UNE DE TES PLANQUES AU MILIEU DE NULLE PART.

JE T'ASSURE QU'IL Y A PIRE, COMME ENDROIT.

LES FILLES NE VONT PLUS À L'ÉCOLE. ELLES S'ENNUIENT. MARCEL PASSE NOUS AMENER DES VIVRES, DEUX FOIS PAR MOIS. IL NOUS DONNE DE TES NOUVELLES ...

...OUI, ON PEUT DIRE QU'ON S'EN SORT.

36

C'EST BIENTÔT FINI, EVA. CROIS-MOI, C'EST LE DERNIER HIVER...

QU'EST-CE QUE TU EN SAIS ?! ...

...C'EST HITLER QUI TE L'A DIT ?

JE PEUX QUITTER LA TABLE ?

OUI, TU PEUX.

BONNE NUIT, PAPA... BONNE NUIT, MA CHÉRIE.

TA MÈRE ME DIT QUE TU LUI POSES DES PROBLÈMES, QUE TU N'ÉCOUTES JAMAIS RIEN...

QU'EST-CE QUE ÇA PEUT TE FAIRE ?

TU NE CROIS PAS QUE TU AS PASSÉ L'ÂGE DE CES GAMINERIES ? TA MÈRE FAIT DE SON MIEUX, COMPTE TENU DES CIRCONSTANCES...

TU SAIS À QUEL POINT C'EST DIFFICILE POUR ELLE ?

ELLE M'EMMERDE !!!

ELLE EST TOUJOURS LÀ À DONNER DES ORDRES OU À NOUS FAIRE LA MORALE !...

...PUISQU'ELLE EST SI GENTILLE, POURQUOI T'ES PARTI, ALORS !?

CROIS-MOI, SI JE POUVAIS FAIRE MARCHE ARRIÈRE... JE REVIENDRAIS AVEC VOUS.

BIEN SÛR... COMMENT VA LUCIE ?

RENDS-MOI SERVICE, THÉRÈSE. OBÉIS À TA MÈRE.

 J'AI PARLÉ À THÉRÈSE...

ET ?

...ET C'EST SÛR QU'ELLE TIENT DE TOI. DÈS QUE J'AI UN TRUC À VOUS DIRE, VOUS ME TOURNEZ LE DOS.

 JE CROYAIS QUE TU DEVAIS REPARTIR.

 J'AI ENVIE DE RESTER.

 SI TU ESPÈRES QUELQUE CHOSE DE MOI, TU TE FAIS DES IDÉES...

 J'ESPÈRE RIEN DU TOUT.

JE VEUX JUSTE TE TENIR DANS MES BRAS.

 JE T'AIME, ÉVA.

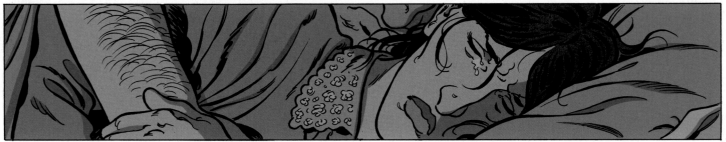

39

41

SPASS A DÉJÀ FAIT SES PREUVES.

SANS LUI, NOUS NE SERIONS MÊME PAS ICI. IL NOUS A SAUVÉS ...

IL NOUS A FOURNI DES VÉHICULES, DES LOCAUX, DES LAISSEZ-PASSER ...

IL NOUS A AIDÉS POUR L'IMPRESSION ET LA DISTRIBUTION DES TRACTS ...

IL A SUPERVISÉ PERSONNELLEMENT PLUSIEURS PARACHUTAGES ...

À L'HEURE OÙ NOUS PARLONS, DEUX DE NOS AMIS ANGLAIS SONT LOGÉS DANS UNE DE SES PLANQUES!

IL Y A UN AN, APRÈS LA RAFLE DE LA BRASSERIE ZIMMER, LE RÉSEAU "HONNEUR ET POLICE" ÉTAIT MORT ET ENTERRÉ ...

... AUJOURD'HUI, NOUS AVONS UNE CENTAINE DE MEMBRES ACTIFS ET DES COMPLICITÉS DANS TOUTE LA PRÉFECTURE. TOUT CELA, NOUS LE DEVONS À SPASS ...

... À JOANOVICI, VOUS VOULEZ DIRE.

40

OH, RASSUREZ-VOUS, JE N'AI PAS RÉPANDU SON NOM DANS TOUT LE RÉSEAU... MAIS C'EST MON RÔLE DE LE CONNAÎTRE.

JE NE CONTESTE PAS VOTRE RÉUSSITE. CE QUI ME DÉRANGE, C'EST QU'ELLE REPOSE SUR LE BON VOULOIR D'UN PROFITEUR DE GUERRE... ...VOIRE D'UN COLLABO...

VOUS N'AVEZ PAS LE DROIT DE LE JUGER ! IL A TIRÉ PRÈS DE 150 PERSONNES DE PRISON, GRÂCE À SES "AMITIÉS" CHEZ L'ENNEMI !

DU CALME, ANDRÉ.

LE JUGER ? OH, MAIS J'Y COMPTE BIEN... NOUS LE JUGERONS QUAND CE PAYS AURA DE NOUVEAU UNE JUSTICE DIGNE DE CE NOM.

CE N'EST PAS URGENT.

LES PROCHAINS MOIS VONT ÊTRE CRUCIAUX. L'OFFENSIVE QUI SE PRÉPARE NE PEUT PAS ÉCHOUER, ET LES F.F.I.* DEVRONT Y JOUER UN RÔLE MAJEUR...

J'AI BESOIN D'ÊTRE SÛR DE NOS HOMMES ET DE LEUR FIDÉLITÉ.

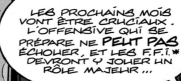

BIEN SÛR, QUE JOSEPH EST FIDÈLE !

C'EST FAUX. IL N'EST FIDÈLE QU'À LUI-MÊME. MAIS ÇA NE DOIT PAS VOUS INQUIÉTER...

...JOSEPH JOANOVICI VOIT LOIN. IL SAIT QUE C'EST SON INTÉRÊT DE NOUS AIDER.

SALUT, PETIT FRÈRE !

* FORCES FRANÇAISES DE L'INTÉRIEUR.

JE VAIS ÊTRE ABSENT QUELQUES JOURS. JE DOIS ALLER EN BELGIQUE. UN NOUVEAU CONTACT POUR ÉCOULER L'OR.

PROBLÈME DE RICHE...

JE VOUDRAIS QUE TU AILLES VOIR ÉVA ET LES FILLES. IL FAUT QU'ELLES CHANGENT DE PLANQUE.

ENCORE ?

J'AI TROUVÉ UN APPARTEMENT À ANNECY... LUCIE TE DONNERA LES CLÉS.

QUAND EST-CE QU'ON PART ?

DEMAIN.

LES AFFAIRES MARCHENT AU RALENTI, ON DIRAIT...

OUAIS. LES FOURNISSEURS RECHIGNENT DE PLUS EN PLUS À NOUS LIVRER... FAUT CROIRE QUE L'ARGENT DES ALLEMANDS N'A PLUS LA COTE.

BON, ET PUIS JE FAIS DE MON MIEUX... MAIS JE NE SUIS PAS AUSSI FORT QUE TOI.

TU T'EN TIRES COMME UN CHEF, MARCEL.

REMARQUE, J'AI BIEN NOTÉ QU'ILS CONTINUAIENT À CIR- CULER, NOS CAMIONS, MAIS ILS TRANSPOR- TENT DE DRÔLES DE CHOSES, CES DERNIERS TEMPS.

JE SAIS CE QUE TU FAIS, JOSEPH. ET JE SUIS FIER DE TOI. SI JE PEUX TE DONNER UN COUP DE MAIN...

TIENS-T'EN AU MÉTAL...

...LE RESTE, C'EST TROP SALISSANT.

42

JE NE VOUS DÉRANGE PAS, J'ESPÈRE?

NON... NON, PAS DU TOUT, J'ÉTAIS EN TRAIN DE...

...FUMER?

JE... OUI, C'EST ÇA, JE M'EN GRILLAIS UNE PETITE...

DES AMÉRICAINES. J'ADORE ÇA.

VOUS... VOUS EN VOULEZ? ON EN TROUVE À TOUS LES COINS DE RUE DE NOS JOURS...

MERCI. J'AI LES MIENNES.

VOUS ÊTES SÛR? ELLES NE ME MANQUERONT PAS...

SÛR.

JE REPARS POUR BERLIN. JE SUIS VENU VOUS DIRE AU REVOIR, LUCIE. J'AI VOULU SALUER JOSEPH, MAIS ON M'A DIT QU'IL ÉTAIT ABSENT...

EHH... OUI, IL EST EN VOYAGE.

JE N'Y MANQUERAI PAS.

SOIT. VOUS LUI TRANSMETTREZ MES AMITIÉS.

44

NOUS AVONS EU DE BONS MOMENTS, TOUS LES DEUX...

INOUBLIABLES.

SOYEZ PRUDENTE, MA CHÈRE. JE SAIS À QUEL POINT VOUS TENEZ À JOSEPH, ET JE RESPECTE VOS SENTIMENTS. MAIS S'IL LUI ARRIVAIT MALHEUR...

NE RESTEZ PAS ACCROCHÉE À LUI.

MAIS... POURQUOI VOULEZ-VOUS QU'IL LUI ARRIVE MALHEUR ?

NOUS VIVONS UNE ÉPOQUE TROUBLÉE.

MOEDER LAMBIC
ZAAR PILS

BRUXELLES,
4 JUIN 1944...

JE RELANCE DE 200.

JE SUIS.

JE PASSE...

QUELLE HEURE IL EST ?

SIX HEURES MOINS VINGT. POURQUOI ? VOUS ÊTES PRESSÉ ?

J'ATTENDS L'OUVERTURE DES BANQUES.

KRAK

MAINS SUR LA TÊTE !!

VOUS ÊTES EN ÉTAT D'ARRESTATION !!!

LEQUEL D'ENTRE VOUS EST JOSEPH JOANOVICI ?

C'EST MOI.

46

LE TRAFIC DE DEVISES EST PASSIBLE DE LA PEINE DE MORT, SELON LES LOIS DU REICH...

TOUTEFOIS, SUITE AUX TÉMOIGNAGES DE NOS HOMOLOGUES PARISIENS, ET COMPTE TENU DE VOS ÉTATS DE SERVICE...

...NOUS ALLONS NOUS CONTENTER DE SAISIR L'OR ET LES DEVISES.

VOULEZ-VOUS RE-LIRE VOTRE DÉPOSITION, AVANT DE LA SIGNER ?

JE... JE NE SAIS PAS LIRE.

CE N'EST PAS GRAVE. FAITES UNE CROIX EN BAS DE CHAQUE PAGE.

À LA MOINDRE INCARTADE, CETTE DÉPOSITION POURRA ÊTRE UTILISÉE CONTRE VOUS, N'OUBLIEZ PAS, MONSIEUR JOANOVICI...

e soussigné : ...oseph Joanovici

...VOUS ÊTES AU SERVICE DU REICH...

...POUR LE MEILLEUR, ET POUR LE PIRE.

JOANOVICI FRÈRES   ACHATS-VENTES TOUS MÉTAUX

47

QU'EST-CE QU'ON FÊTE ?

LES ALLIÉS ONT DÉBARQUÉ EN NORMANDIE. LES BOCHES N'ONT PAS PU LES REPOUSSER...

AU RYTHME OÙ ILS AVANCENT, ILS SERONT À PARIS D'ICI HUIT, DIX SEMAINES AU MAXIMUM.

ILS ARRIVENT, JOSEPH ! ILS VIENNENT NOUS LIBÉRER !

AH. CHOUETTE.

C'EST FINI, LES BEAUX JOURS...

VOILÀ LES CLÉS.... C'EST LA DEUXIÈME À GAUCHE QUAND VOUS ARRIVEREZ À BAZOCHES. VOUS POUVEZ PAS LA RATER.

TOUT LE MONDE EST LÀ ?

OUI, PAPA.

BON, ON Y VA.

ON NE PEUT PAS PARTIR ! IL MANQUE MON NEVEU.

ON N'A PAS LE TEMPS DE POIREAUTER.

48

49

PAUL CLAVIER ?

DU CALME.

JE VIENS DE LA PART DE JOSEPH.

QU'EST-CE QU'IL A FOUTU ? ÇA FAIT UNE HEURE QUE JE L'ATTENDS !

JE DOIS VOUS CONDUIRE JUSQU'À LUI.

PRENEZ LE VOLANT, JE VOUS INDIQUERAI LE CHEMIN ...

HÉ ! ON N'A PAS TOUTE LA JOURNÉE !

50

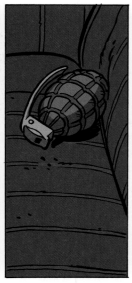

51

54

QU'EST-CE QUI SE PASSE ? QU'EST-CE QU'IL A DIT ?

SALUT, LUCIEN !

SALUT LES FILLES. TOUT SE PASSE BIEN ?

AU POIL ! C'EST UN CHOUETTE TISSU QUE TU NOUS AS DÉGOTÉ POUR LES BRASSARDS.

'FAUT REMERCIER MONSIEUR JOSEPH ...

BAH, C'EST PAS GRAND-CHOSE ... J'AI DÛ ACHETER DU TISSU POUR UN COPAIN ... J'AI GARDÉ LES CHUTES.

ET PAUL ?

C'EST FAIT.

IL NE DIRA JAMAIS QUI L'A REN-CARDÉ SUR "HONNEUR ET POLICE", CELUI-LÀ ...

53

FIN DE L'ÉPISODE.